汪汪队立大功儿童安全救援故事书

水塔抢修大行动

美国尼克儿童频道／著
安东尼／译

天地出版社 | TIANDI PRESS

这一天阳光明媚，灰灰和小砾正在冒险湾的公园里玩耍。

“天气太热了！”小砾说，“咱们去水池里玩吧！”

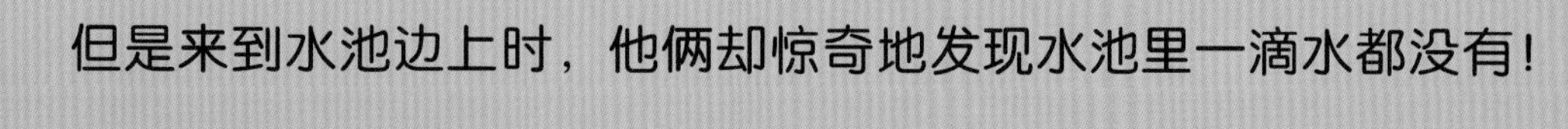

但是来到水池边上时，他俩却惊奇地发现水池里一滴水都没有！

“天啊！这是怎么回事？”灰灰叫道。

“我也不知道，但是我们必须找到原因，这是汪汪队的工作。”小砾说，“开始行动吧！”

塔台那边，天天和毛毛正在收拾东西准备去水池里好好玩一天。

“准备好了吗？”天天问。

毛毛说："马上！浴巾、防晒霜、太阳帽、水，还有我的超级狗狗漫画，都齐了，出发啦！"

灰灰和小砾去找队员们想办法，在中央大街上，正好碰到了莱德和艾利克斯。

莱德问：“狗狗们，发生什么事了？”

“水池里没有水了！”灰灰很着急。

“没水了？那我们该怎么办？”艾利克斯问道。

“别担心，艾利克斯！”莱德说着，掏出了他的平板电脑，“汪汪队会修好它的！”

他按下紧急按钮，通知队员们前往塔台集合。

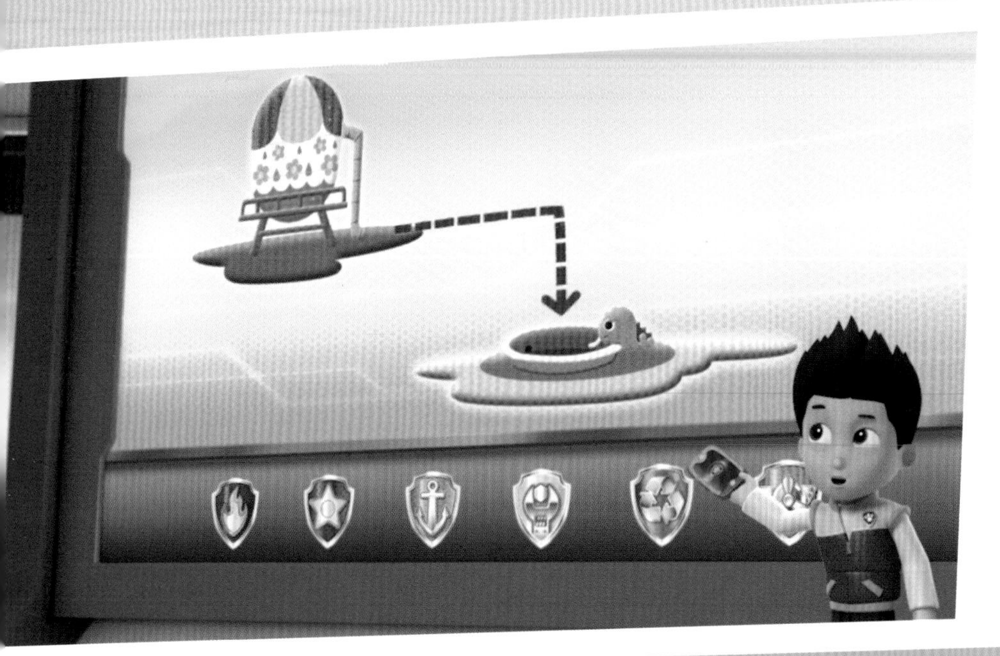

不一会儿，狗狗们在塔台列队集合完毕。

莱德说：“水塔里的水无法输送到水池里，我们必须查明原因！”

“毛毛，你用云梯检查水塔。小砾，你的挖掘机也要准备，必要时得挖通堵塞的管道。”

接到命令的狗狗们都兴奋不已。

“其余的狗狗都去水池等候！”莱德说。

莱德、小砾和毛毛来到了水塔，他们发现支撑水塔的柱子滑动了，导致水管弯曲变形。

莱德说：“在修好水管之前，我们得先把水塔修好。我们需要更多的队友来帮忙！”

莱德呼叫阿奇和灰灰：“阿奇，我们需要你的绞盘。灰灰，还有你的叉车！”

“没问题，马上到！”阿奇和灰灰回答。

当阿奇和灰灰赶到水塔时，所有的队员都已经准备就绪。

“好了，汪汪队员们，你们每个人都有重要的任务。”莱德说。

“阿奇，我们要用到你的缆绳钩和绞盘车。”

“包在我身上！”阿奇答道。

“毛毛，”莱德指示，“你能爬上水塔用钩子钩住水塔吗？”

“没问题！”毛毛回答。

随后，小砾用他的挖掘机在靠近水塔的地方挖出了一堆土。

“干得好，小砾！”莱德说，“灰灰，现在用你的叉车将水泥柱抬起来，好让小砾把土推进去。”

“马上行动！”灰灰答道。

与此同时，在水池边，天天想到了一个可以让大家凉快一点儿的办法。她驾驶着直升机向一座高山飞去。

“没有什么比雪更凉快了！”天天想着。

路马说：“等着吧，天天会让我们超凉爽的！”

但是天天撒下来的雪全落在了路马的身上。

“刚才我还是一条热狗，现在我成了冰棒狗啦！”路马笑道。

水塔那边，队员们正在进行最后的修复工作。

阿奇用绞盘车拉住塔身，灰灰顶起水泥柱子，小砾把泥土填进坑里。

“让水泥柱回到原位！”灰灰叫道。等柱子重新立起来，阿奇松开绞盘，水塔恢复正常了！

“太棒了！”莱德说，“现在，让我们来修理弯曲的水管，好让水流重新通畅起来。”

灰灰在他的回收卡车里找到一段备用水管，并把它拧在相应的位置。

灰灰开心地说：“旧物别丢掉，还有大用处！灰灰做得到！”

莱德呼叫天天：“天天，我们修好了水塔，水池马上就要注水了！”

天天说：“大家都注意，水马上来了！”

所有人都等在水池边。突然，一股巨大的水流冲向水池，水池又有水啦！

“万岁！”大家一起欢呼起来。

当水池注满水时，路马大叫道：“好了，大家准备游泳啦！”

这时，莱德和其他狗狗也来到水池边。

“感谢你们修好了水池，汪汪队！”艾利克斯说。

莱德说道：“别客气，艾利克斯！记住，有困难就找汪汪队！”

汪汪队救援行动指南

小朋友，你还记得聪明勇敢的汪汪队今天完成了什么任务吗？他们是怎么做的呢？我们一起来看今天的行动指南吧！

水塔抢修行动指南

发现问题

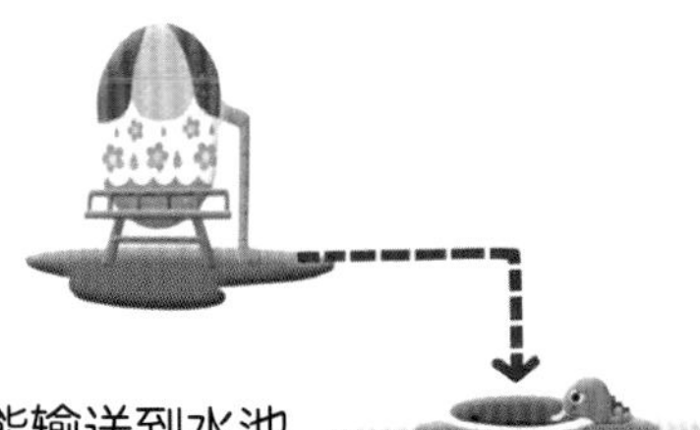

水塔的水不能输送到水池，是哪里出了问题？快去检查水塔。

报告！水塔的柱子歪了，导致水管变形，水不能流通。

我有办法

先来修水塔。

准备缆绳和绞盘车，以便钩住水塔。

用叉车把歪了的柱子抬起来。

用铲车挖土填到柱子的坑里。

我来帮大家降降温！

地面填平，柱子不歪了，再来修水管。

换上备用水管，可以给水池注水喽！

成功啦

记住，有困难就找汪汪队！

nickelodeon

汪汪队功劳榜

小朋友，你觉得在这次水塔抢修大行动中，狗狗们的表现棒不棒呢？我们来表扬一下他们立下的功劳吧！把狗狗和他们分别完成的任务连起来吧。

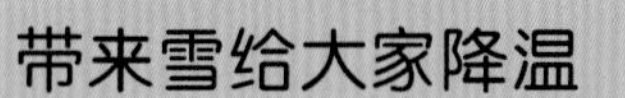

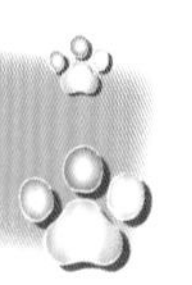

用绞盘车固定水塔

用钩子钩住水塔

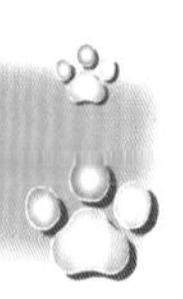

填土固定水塔下的柱子

把水管修理好

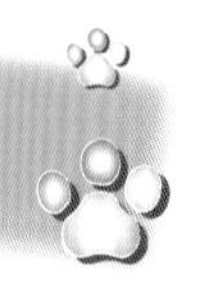

快乐排序

小朋友，你还记得这个故事都说了什么吗？下面就请你按故事发生的先后把正确的排列顺序填到括号里吧！

(　　)→(　　)→(　　)→(　　)

快乐迷宫

小砾要通过迷宫中一条宝石最多的路线找回一件外衣，请你帮他在下图中画出正确的路线。

nickelodeon

nickelodeon

© 2017 Spin Master PAW Productions Inc.
© 2017 Viacom International Inc.
All rights reserved.

nickelodeon

© 2017 Spin Master PAW Productions Inc.
© 2017 Viacom International Inc.
All rights reserved.

nickelodeon

© 2017 Spin Master PAW Productions Inc.
© 2017 Viacom International Inc.
All rights reserved.

nickelodeon

© 2017 Spin Master PAW Productions Inc.
© 2017 Viacom International Inc.
All rights reserved.

nickelodeon

© 2017 Spin Master PAW Productions Inc.
© 2017 Viacom International Inc.
All rights reserved.

快乐涂色

小朋友，快拿起你手中的画笔，为下图中的人物涂上美丽的颜色吧！

图书在版编目(CIP)数据

汪汪队立大功儿童安全救援故事书. 水塔抢修大行动/美国尼克儿童频道著；安东尼译. — 成都：天地出版社, 2017.3

ISBN 978-7-5455-2370-6

Ⅰ. ①汪… Ⅱ. ①美… ②安… Ⅲ. ①儿童故事－图画故事－美国－现代 Ⅳ. ①I712.85

中国版本图书馆CIP数据核字(2016)第283539号

出品策划：文轩出品

网　　址：http://www.huaxiabooks.com

著作权登记号 图字：21-2017-04-13 号

水塔抢修大行动

出 品 人	杨　政	总 经 销	新华文轩出版传媒股份有限公司
策划编辑	李红珍　戴迪玲	印　　刷	北京瑞禾彩色印刷有限公司
责任编辑	陈文龙　夏　杰	开　　本	889×1194　1/20
特邀编辑	张　剑	印　　张	1.6
版权编辑	郭　淼	字　　数	10 千字
装帧设计	谭启平	版　　次	2017 年 3 月第 1 版
责任印制	董建臣	印　　次	2017 年 6 月第 3 次印刷
出版发行	天地出版社（成都市槐树街 2 号 邮政编码：610014）	书　　号	ISBN 978-7-5455-2370-6
网　　址	http://www.tiandiph.com	定　　价	12.80 元